きんぎょ

KINNGYO

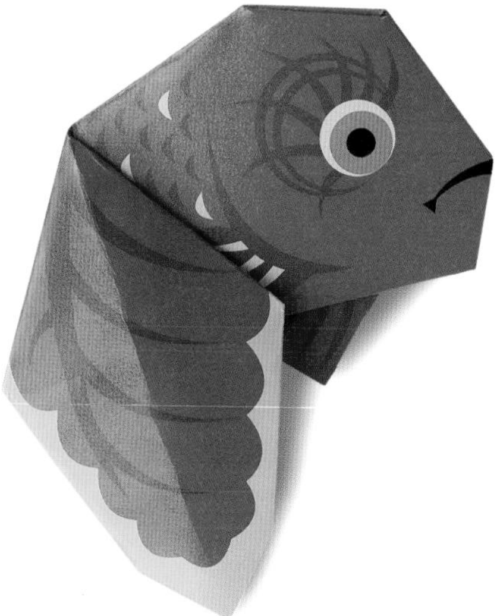

きんぎょ　KINNGYO

1

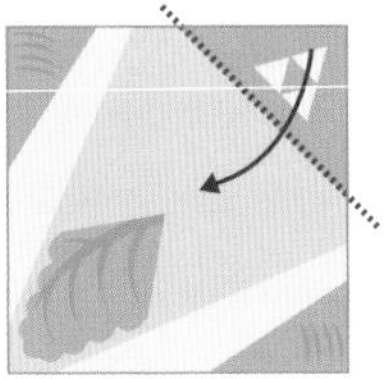

裏面を出す

2

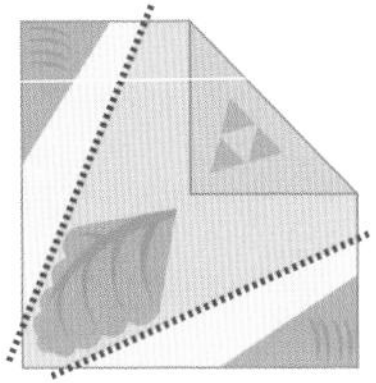

3

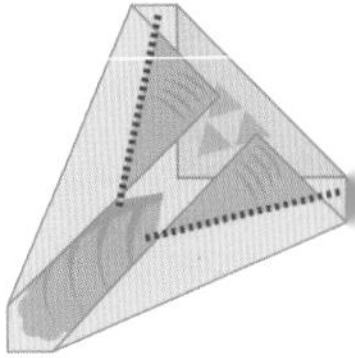

4

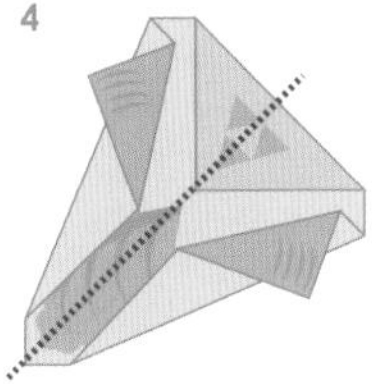

5

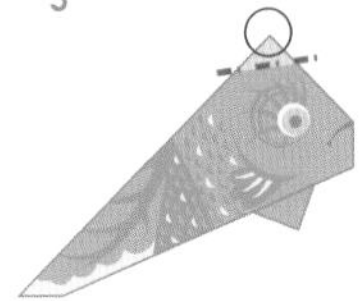

○の部分を内側に中割り折り

6

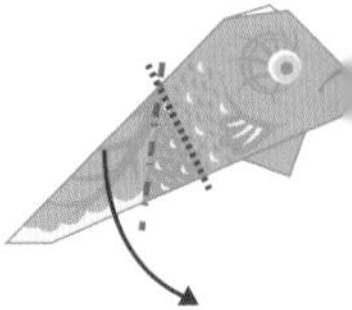

折り線にそって
内側を開きながら折る

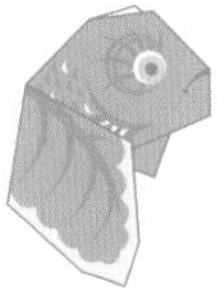

完成！

金太郎

KINTAROU

金太郎　KINTAROU

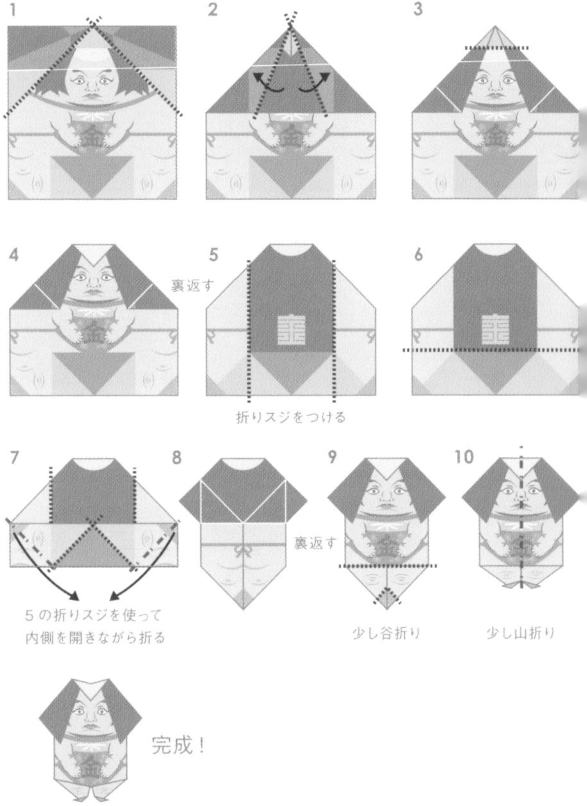
1
2
3
4
裏返す
5
6
折りスジをつける
7
8
裏返す
9
10
5の折りスジを使って
内側を開きながら折る
少し谷折り
少し山折り
完成！

くま

KUMA

くま　KUMA

1

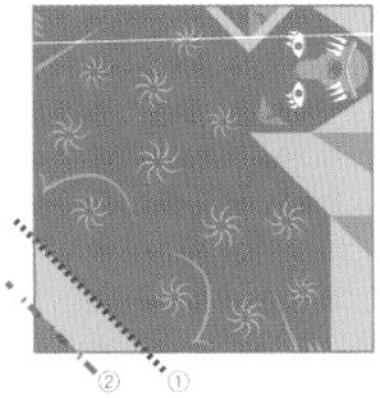

①②の順番に
谷折り山折りする

2

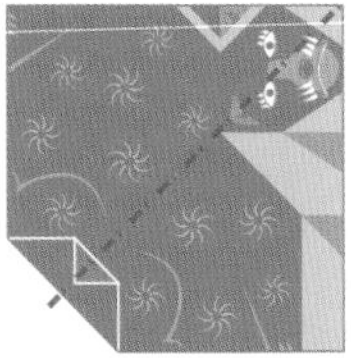

半分に山折り

3

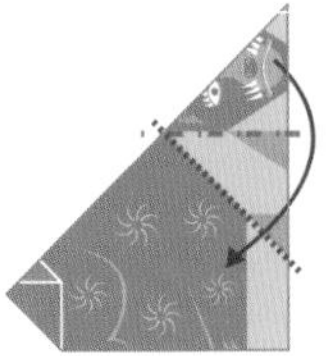

折り線にそって
内側を開きながら折る

4

上の紙だけ山折り

5

上の紙だけ山折り

6

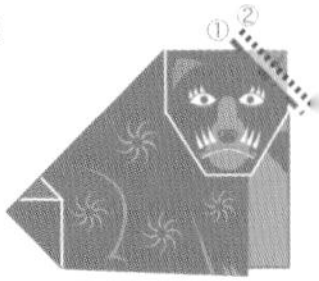

①②の順番に
山折り谷折りする

7

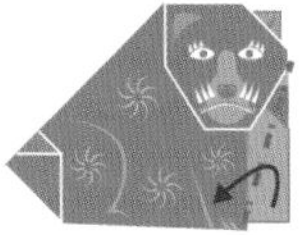

内側を少し膨らませる

完成！

かご

KAGO

かご　KAGO

1

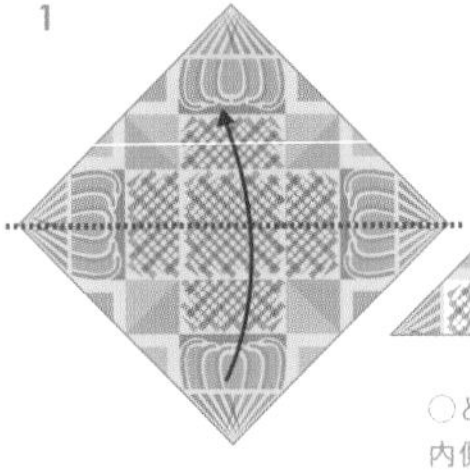

2

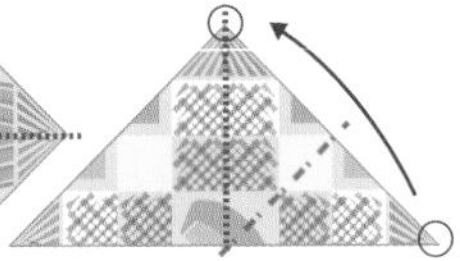

○と○を合わせるように
内側を開きながら折る折る

3

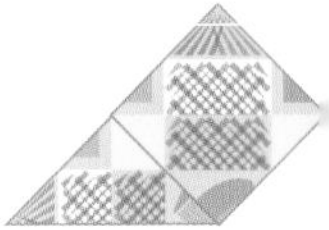

反対側も
2と同じように折る

4

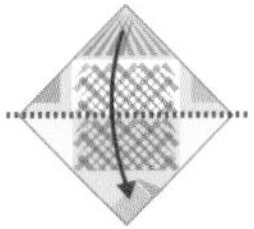

一枚だけ谷折り

5

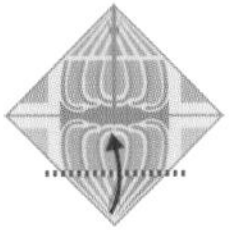

一枚だけ谷折り
反対側も 4、5 と
同じように折る

6

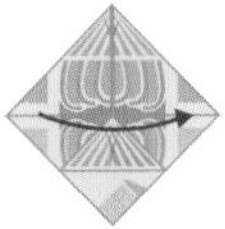

1 枚めくって
違う面を出す
反対側も同じ

7

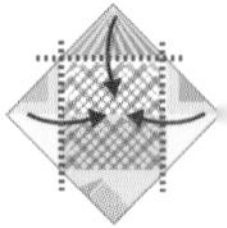

一枚だけ谷折り

8

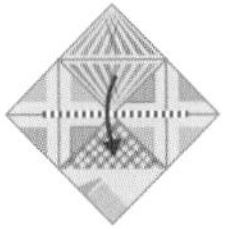

一枚だけ谷折り

9

反対側も 7、8 と
同じように折る

10

箱の内側を開き底を
平らにして立体にする

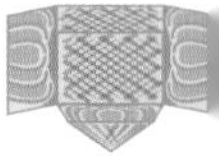

完成！

ししまい

SHISHIMAI

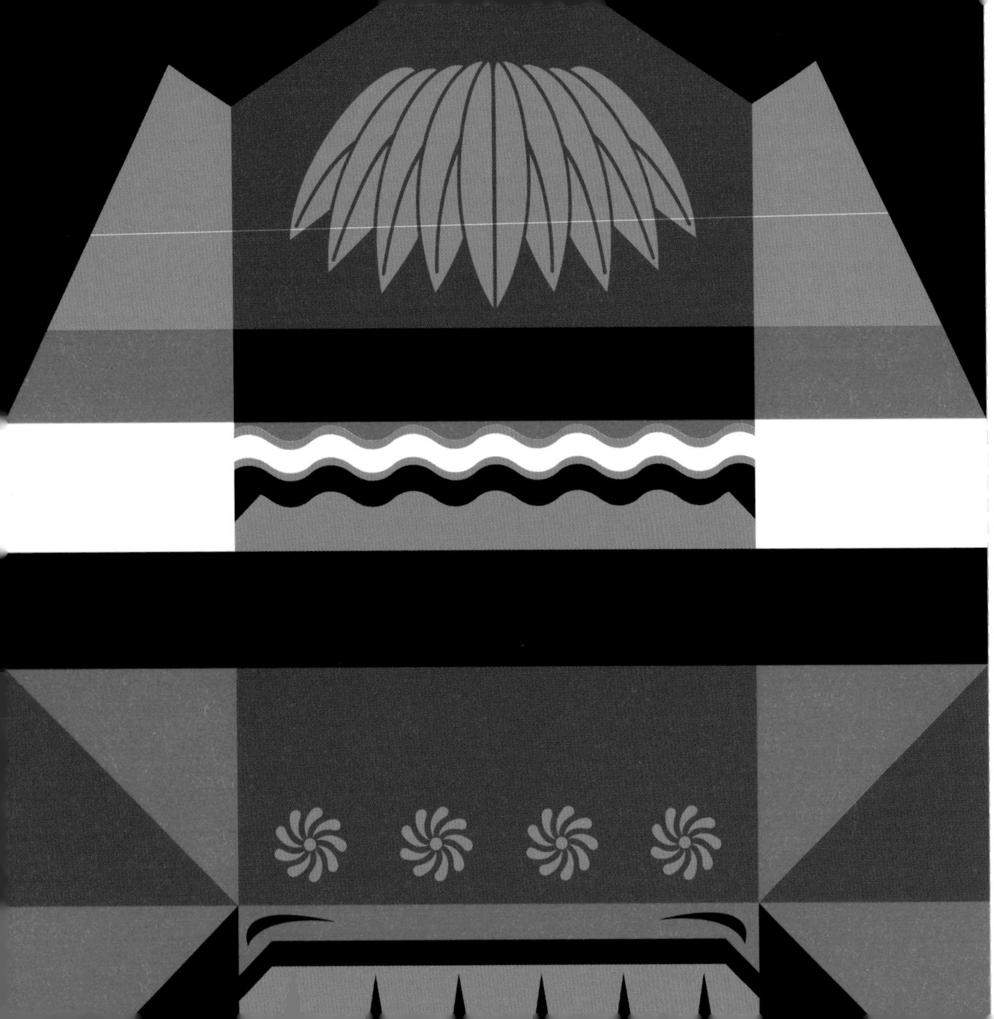

ししまい　SHISHIMAI

1

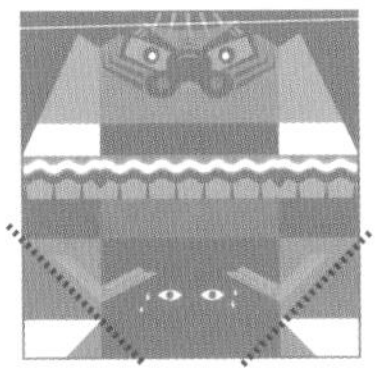

2

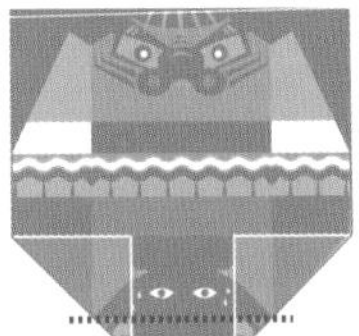

折りスジをつける

3

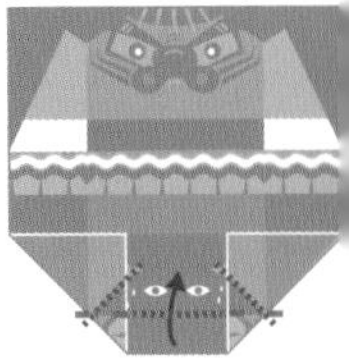

２の折りスジを使って
折り線にそって内側を
開きながら折る

4

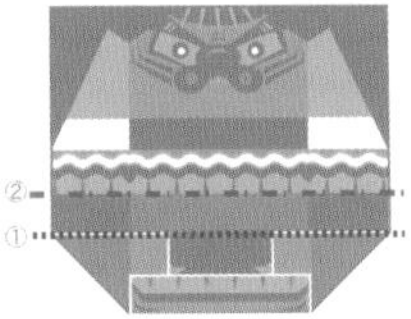

①②の順番に
谷折り山折りする

5

6

①②の順番に
山折り谷折りする

7

山折り
耳が出てきます

8

かどを少し山折り

完成！

ふね

FUNE

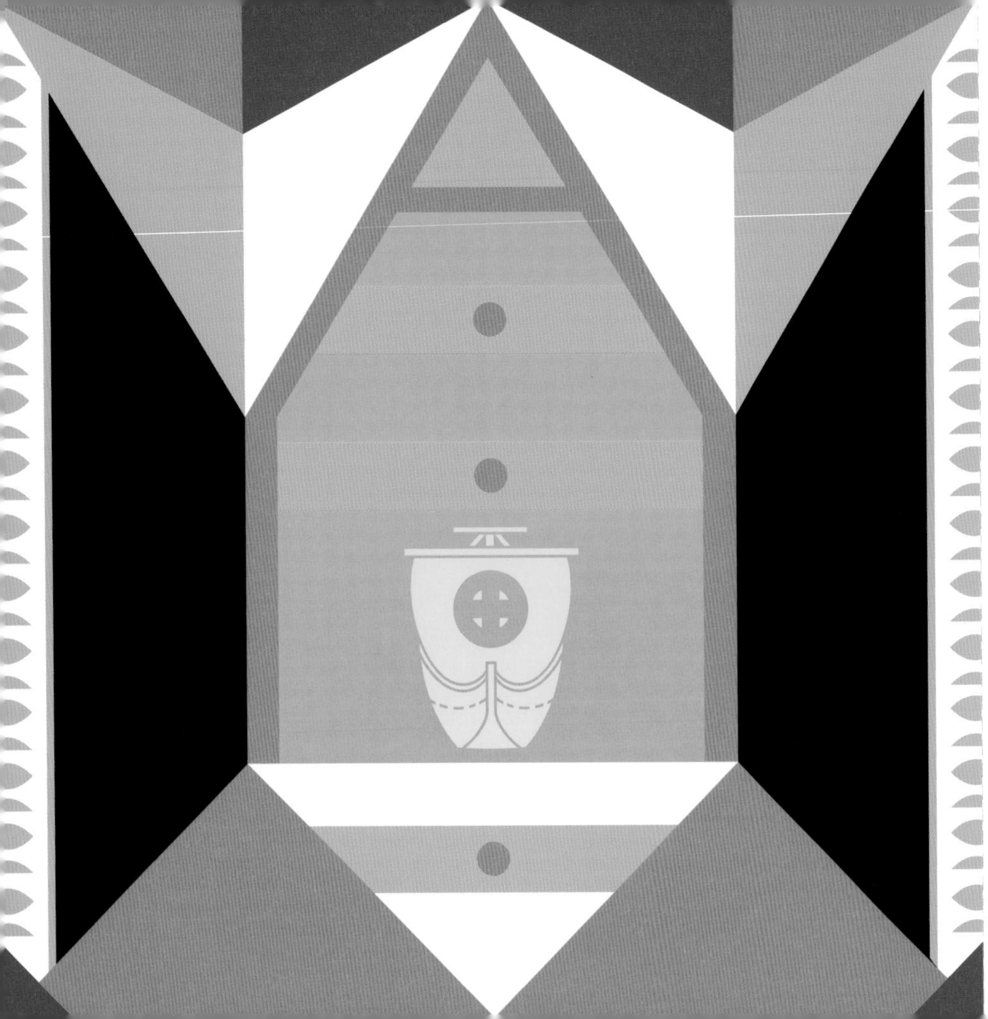

ふね　FUNE

1

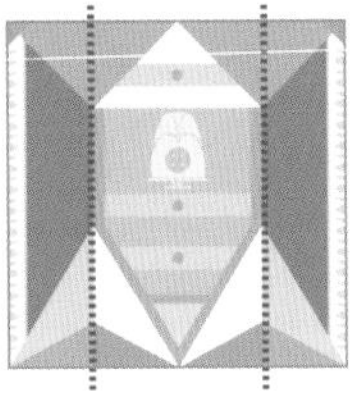

裏面を出し
谷折りで折りスジをつける

2

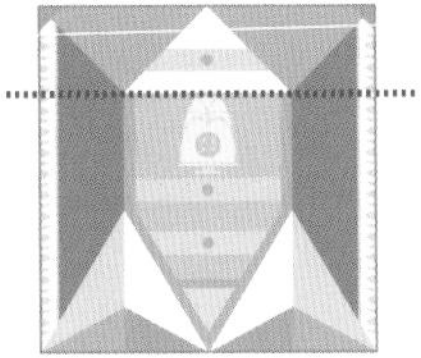

3

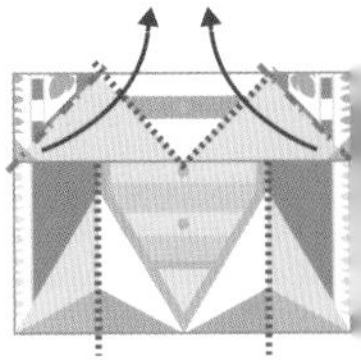

1の折りスジを使って
内側を開きながら折る

4

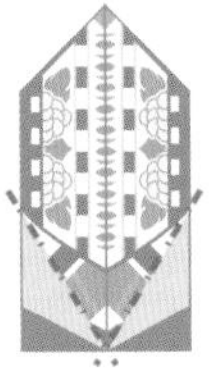

山折り

5

向きを変える

6

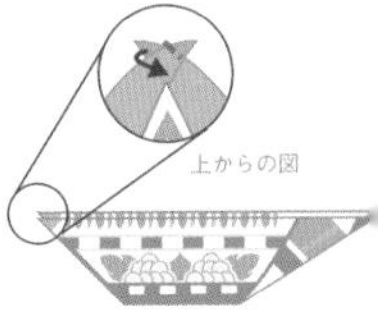

○部分の紙を
図のように重ねて
引っ掛ける

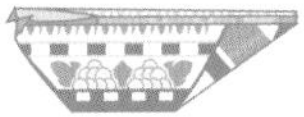

完成！

おたかぽっぽ

OTAKA-POPPO

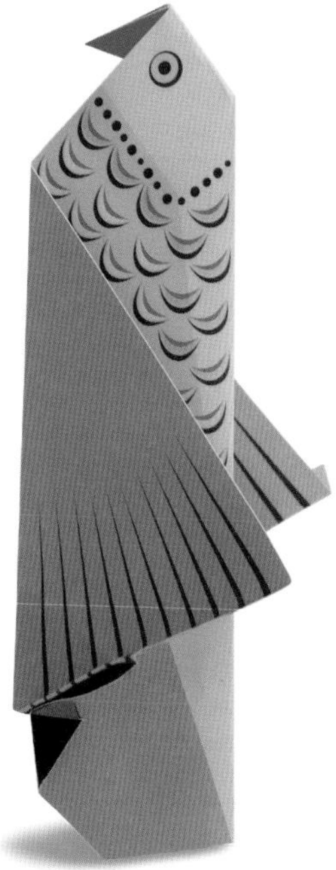

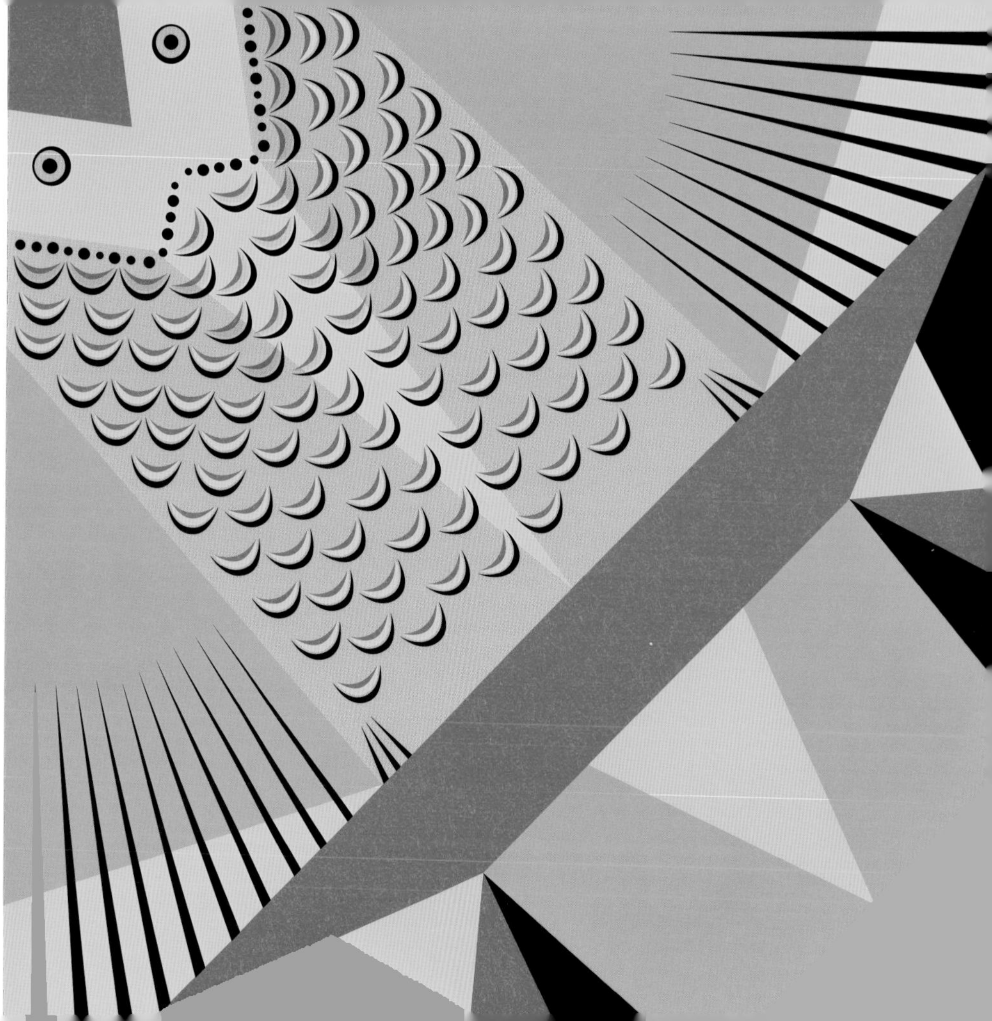

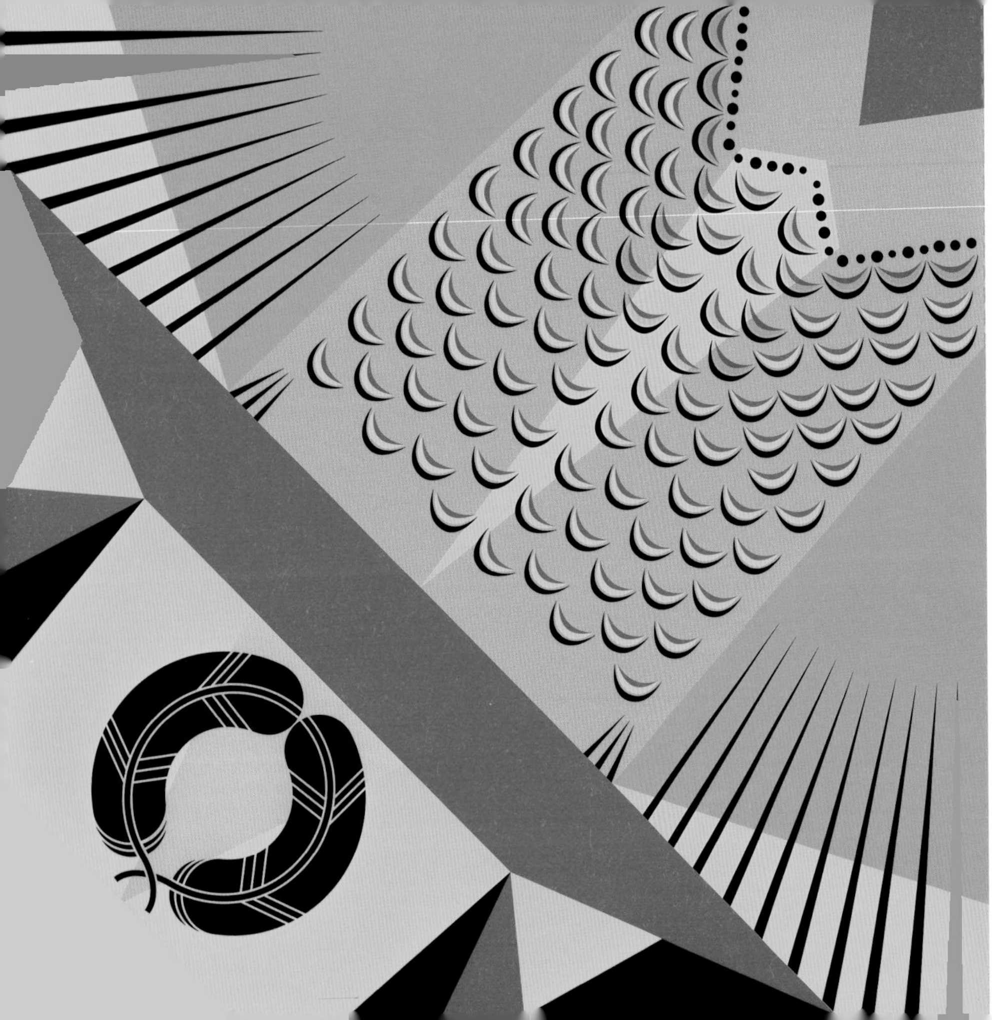

おたかぽっぽ　OTAKA-POPPO

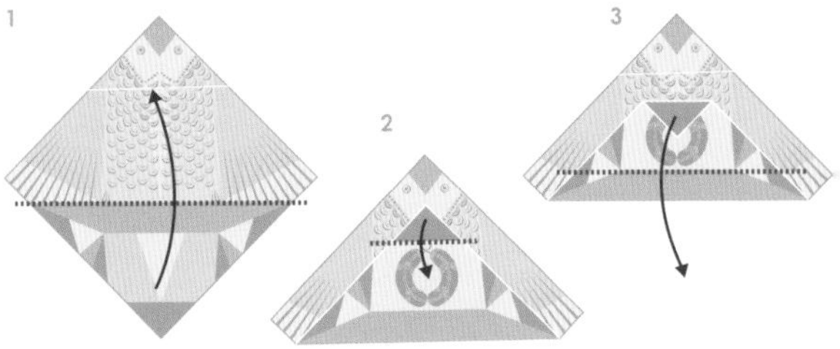

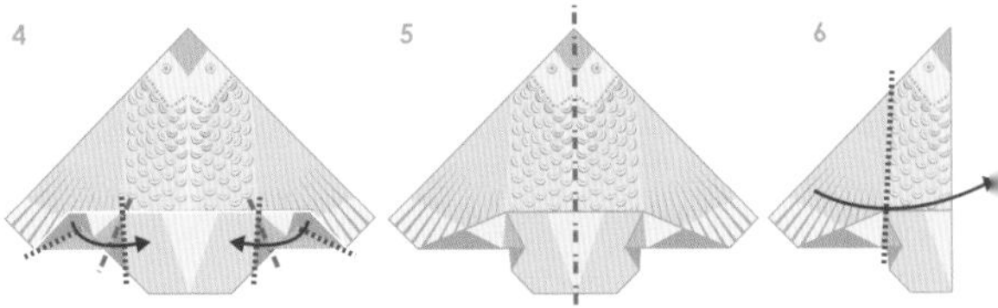

折り線にそって
内側を開きながら折る

山折り

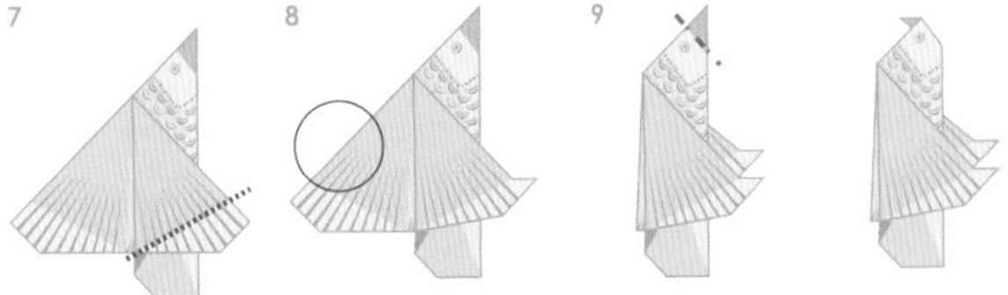

羽を谷折り

反対の羽も 6.7 と
同じように折る

くちばし部分を
中割り折り

完成！

あねさま人形

ANESAMA-NINNGYOU

あねさま人形
ANESAMA-NINNGYOU

1

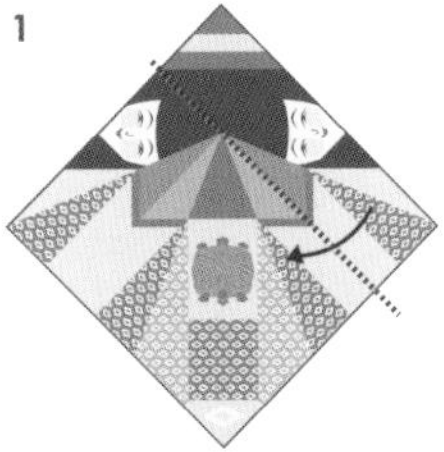

裏面を出す

2

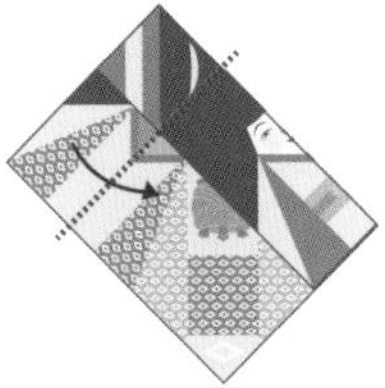

3

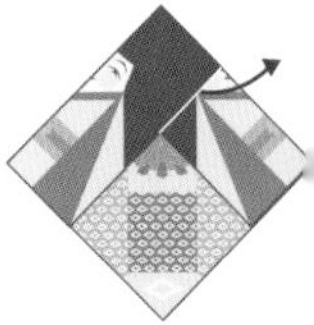

内側を引っ張り出す

4

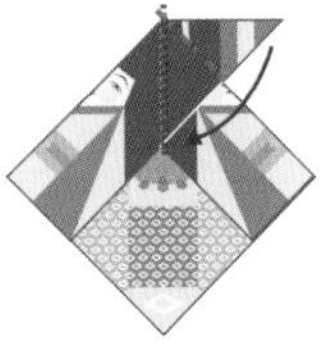

折り線にそって内側を
開きながら折る

5

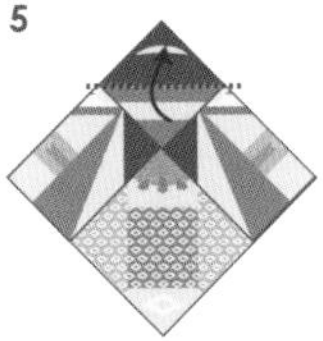

6

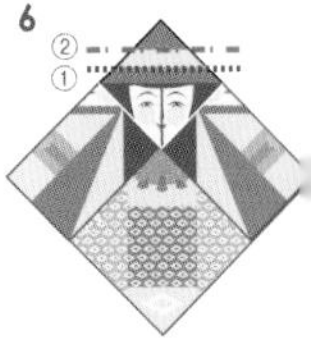

①②の順番に
谷折り山折りする

7

8

完成！

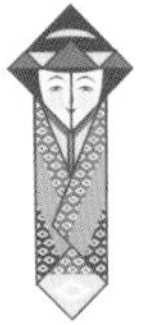

ふくろ

FUKURO

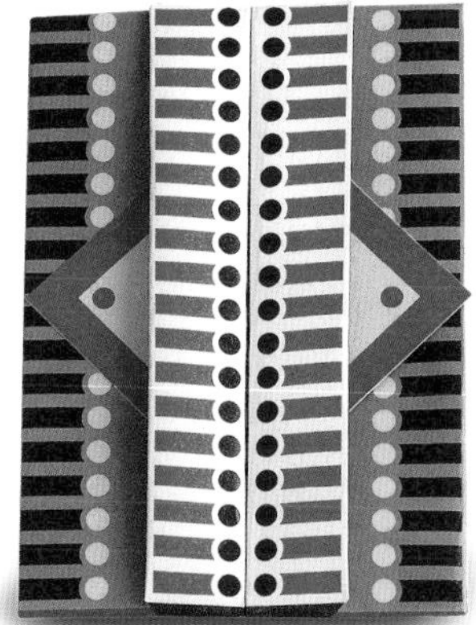

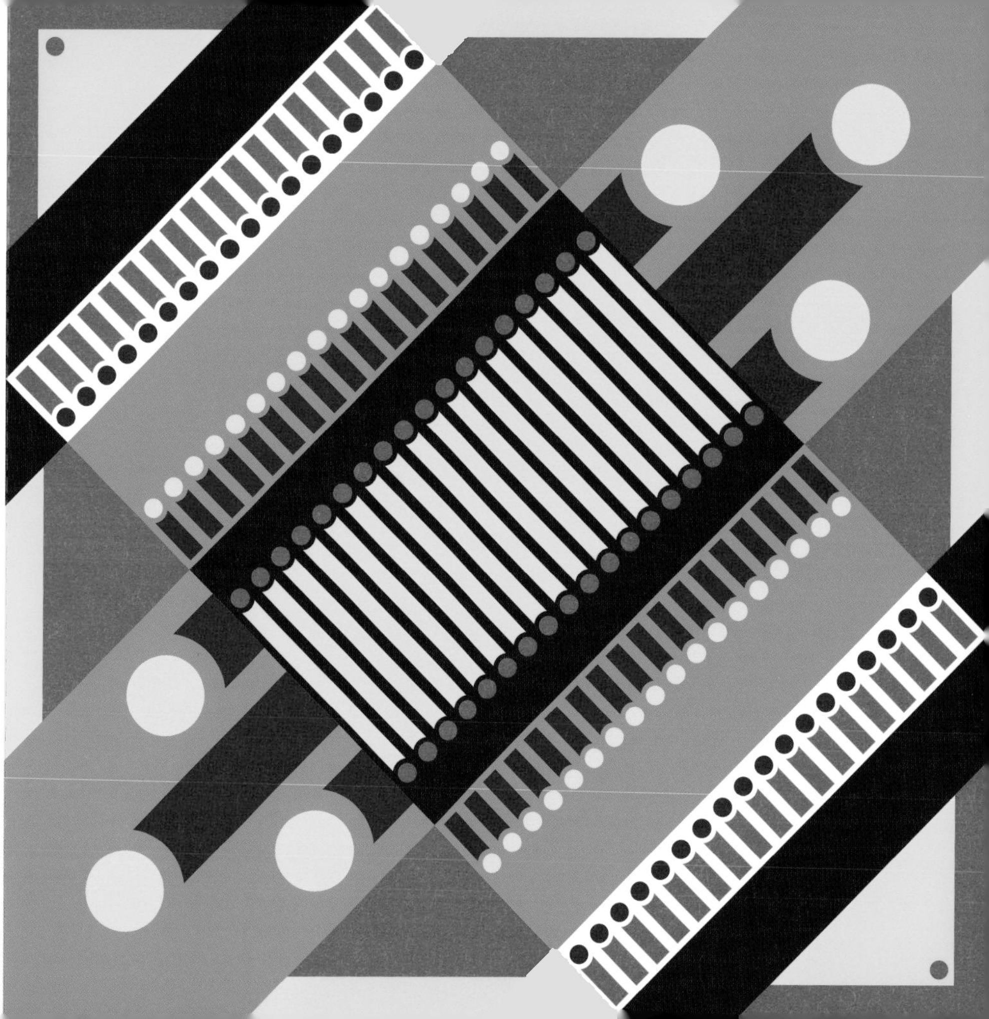

ふくろ　FUKURO

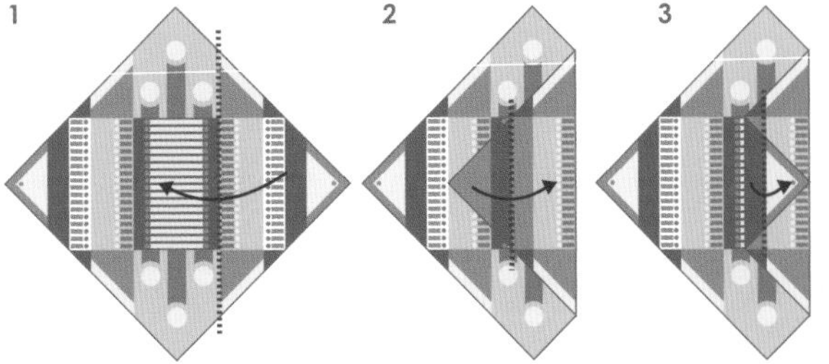

2枚重ねて谷折り

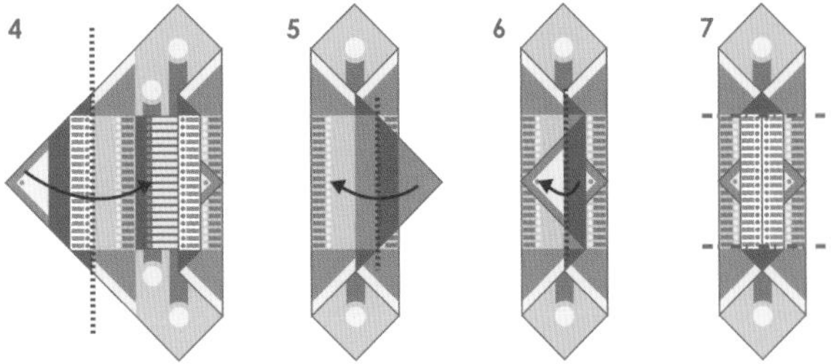

2枚重ねて谷折り

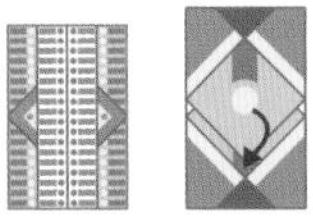

背面は上部分を
内側に差し込むと
固定できます

完成！

ひょっとこ

HYOTTOKO

ひょっとこ　HYOTTOKO

1

2

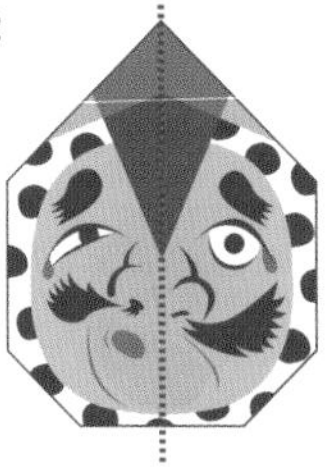

折りスジをつける

3

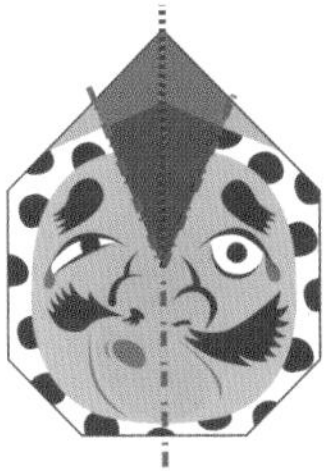

2の折りスジを使って
折り線に沿って立体にする

4

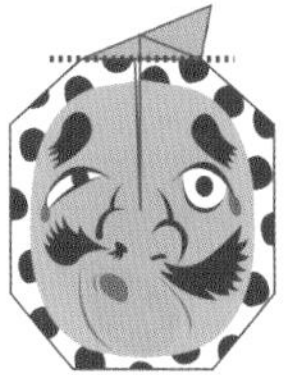

完成！

おかめ

OKAME

おかめ　OKAME

1

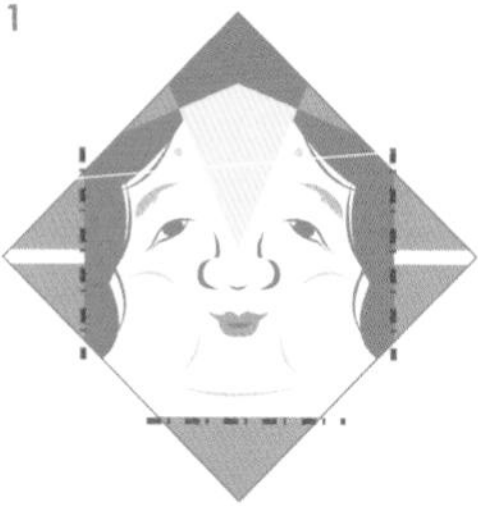

2

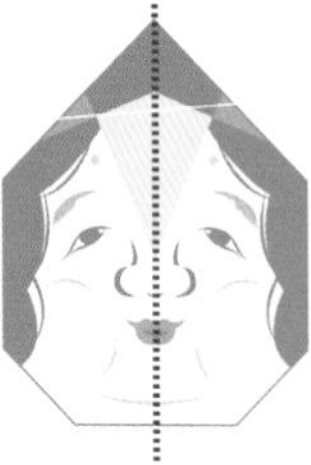

折りスジをつける

3

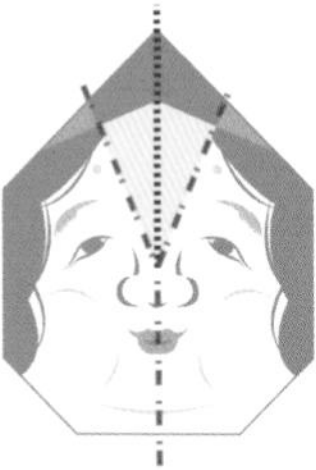

2の折りスジを使って
折り線に沿って立体にする

4

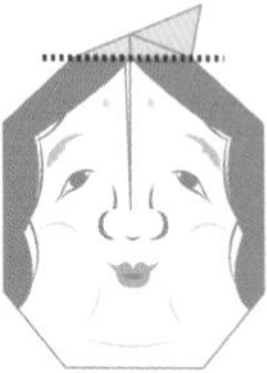

完成！

つばき

TSUBAKI

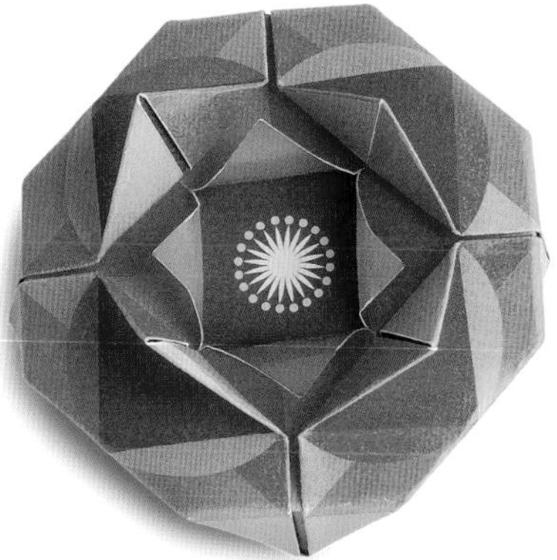

つばき　TSUBAKI

1

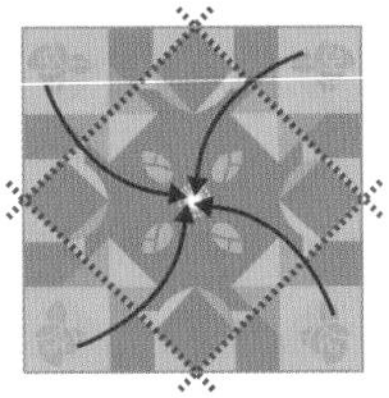

裏面を出す

2

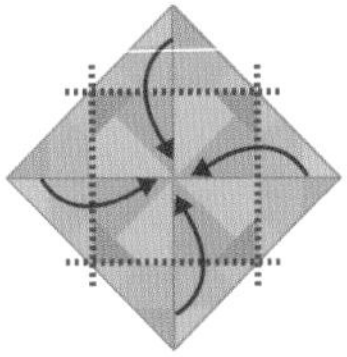

3

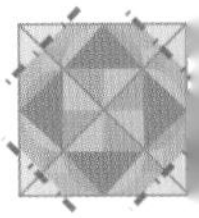

4

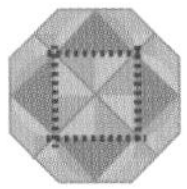

一枚だけ谷折り

5

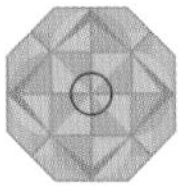

◯部分を少しめくる

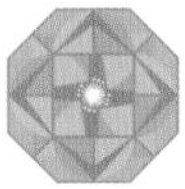

完成！

たこ

TAKO

たこ　TAKO

1

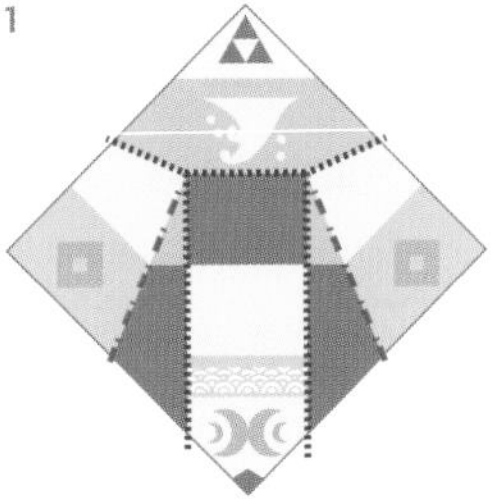

裏面を出し、折り線にそって
折りスジを付ける

2

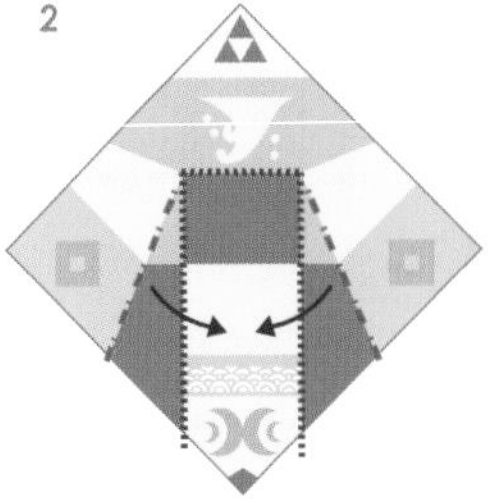

折りスジを使って折る

3

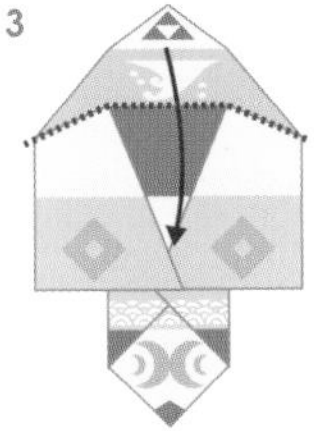

4

5

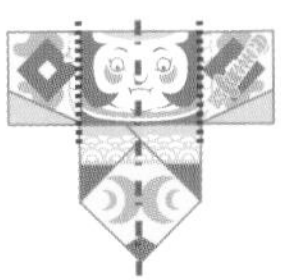

少し谷折り山折りする

完成！

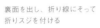

ぼうし

BOUSHI

ぼうし　BOUSHI

1

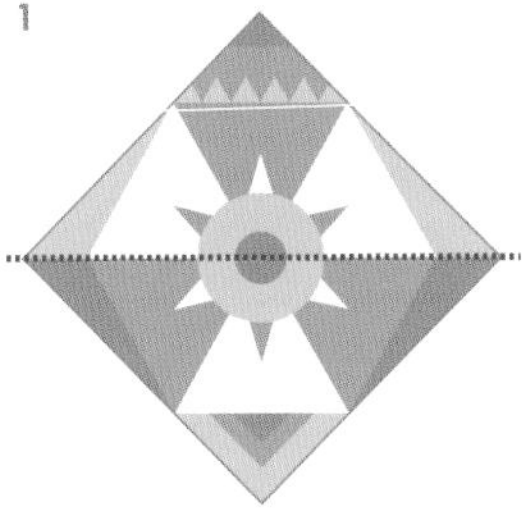

裏面を出す

2

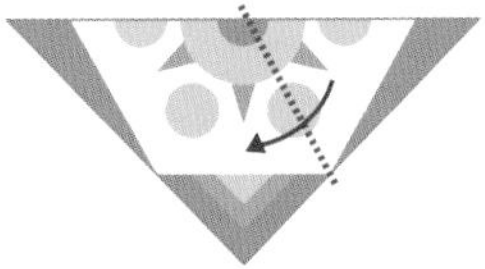

3

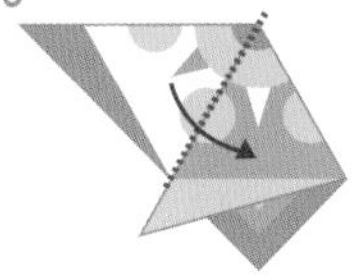

4

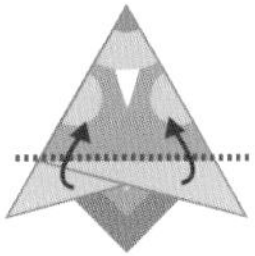

5

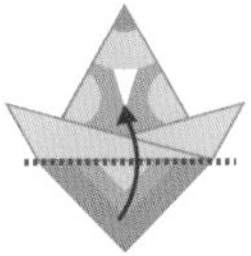

上の１枚だけ谷折り

6

7

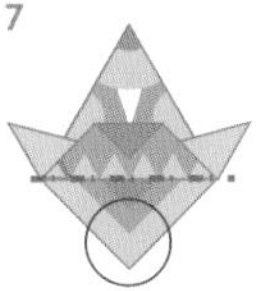

○部分を後ろへ山折り

反対に折ると
ちがう帽子が
できるよ！

完成！

ちょうちょ

CHOU-CHO

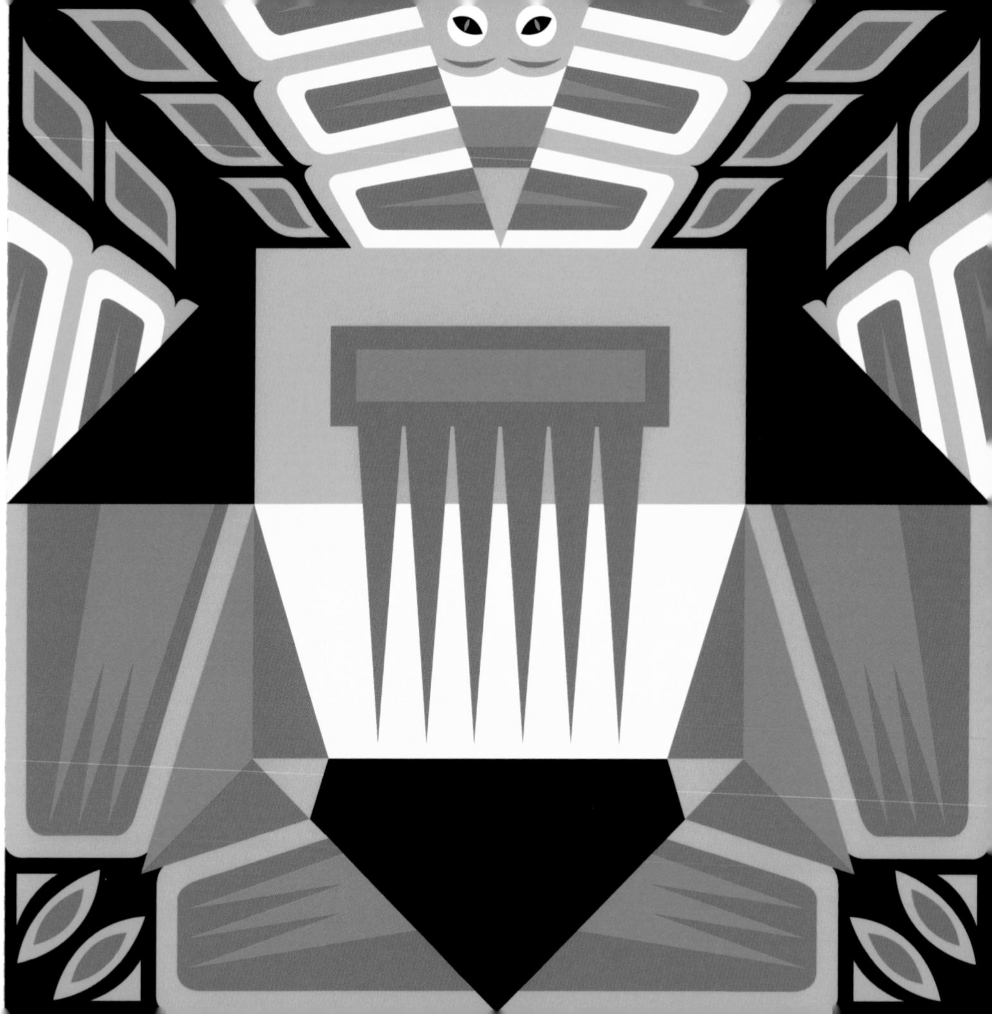

ちょうちょ　CHOU-CHO

1

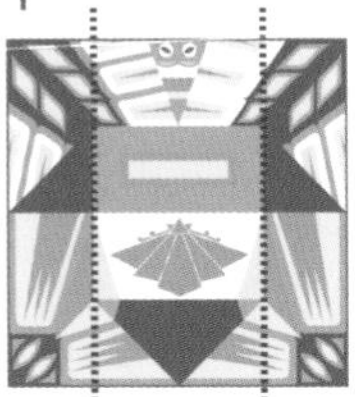

裏面を出す

2

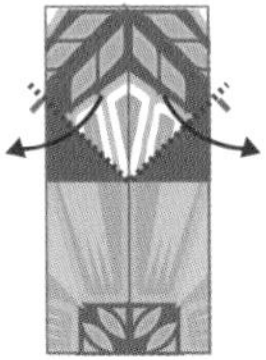

折り線にそって内側を
開きながら折る

3

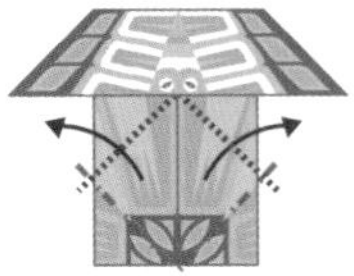

2と同じように折り線に
そって内側を開きながら折る

4

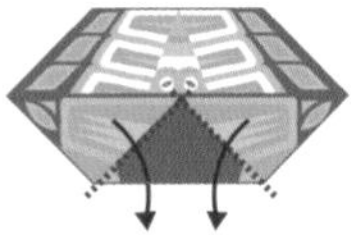

5

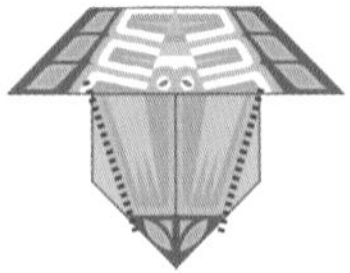

6

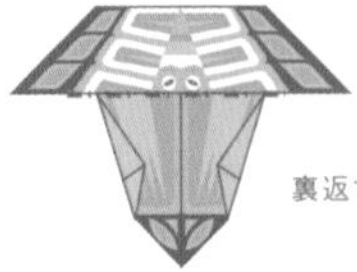

裏返

山折り

7

折り線に沿って少し
谷折り山折りする

完成！

反対に折ると
ちがうちょうちょができるよ！

しかざる

SHIKAZARU

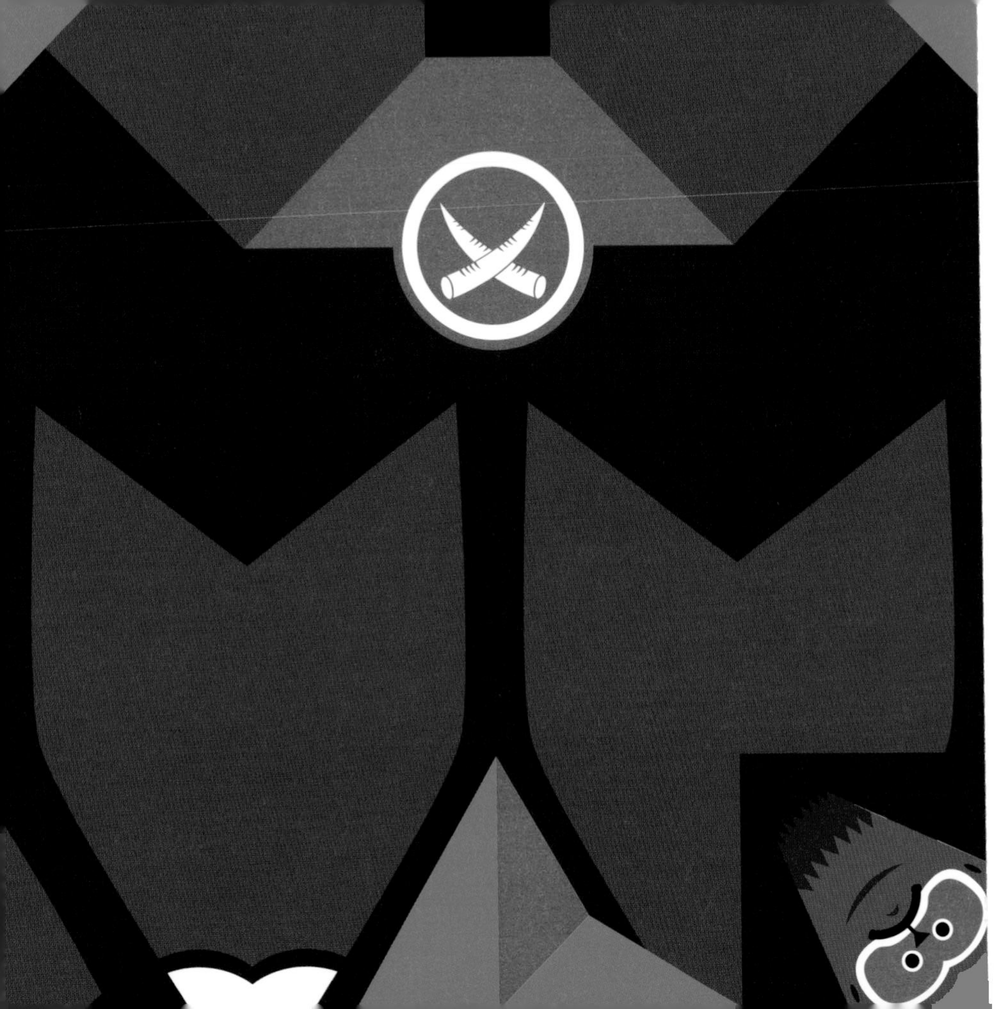

しかざる　SHIKAZARU

1

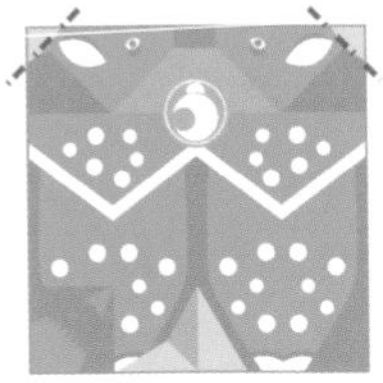

山折り

2

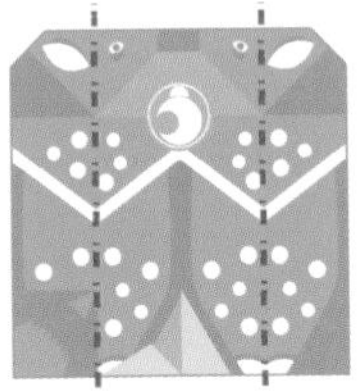

山折り

3

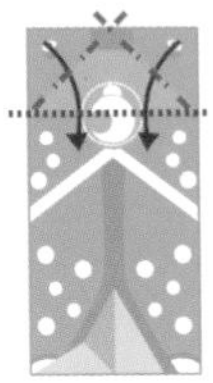

折り線にそって内側を
開きながら折る

4

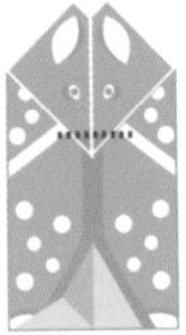

5

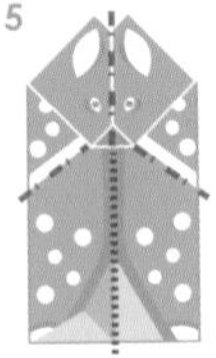

折り線にそって
頭を起こし立体にする

向きを変える

6

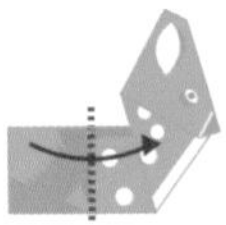

上の紙の内側を
開きながら折る

7

まとめて谷折り

8

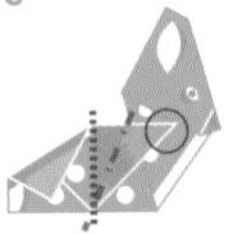

折り線にそって○部分の
内側を開きながら折る

裏返す

完成！

はごいた

HAGOITA

はごいた　HAGOITA

1

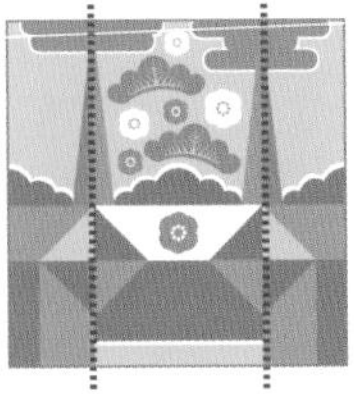

裏面を出す

2

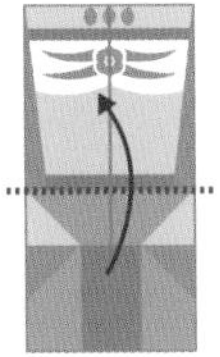

3

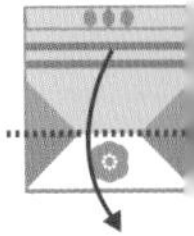

4

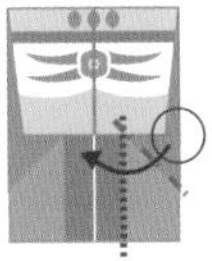

折り線に沿って
○部分の内側を
開くように折る

5

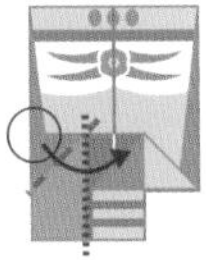

4と同じように折る

6

裏返す

7

山折り

反対に折ると
ちがう羽子板ができるよ！

完成！

とり

TORI

とり　TORI

1

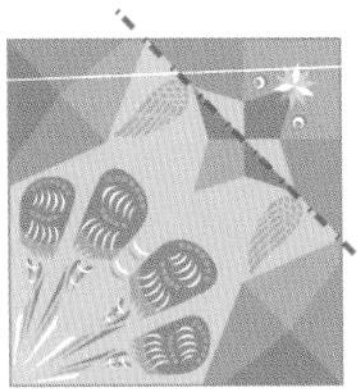

山折り

2

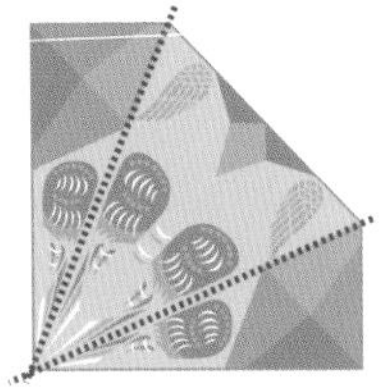

3

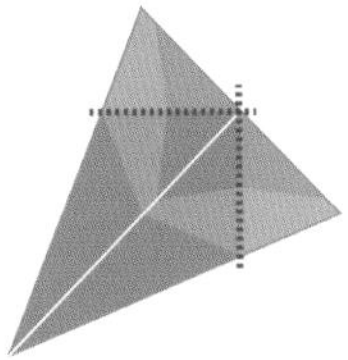

折りスジをつける

4

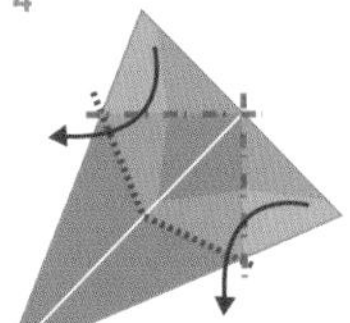

3 の折りスジを使って
折り線にそって
内側を開きながら折る

5

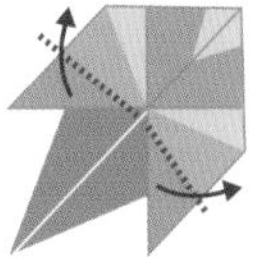

6

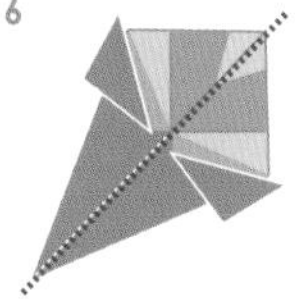

7

くちばし部分を
中割り折り

完成！

だるま

DARUMA

だるま　DARUMA

1

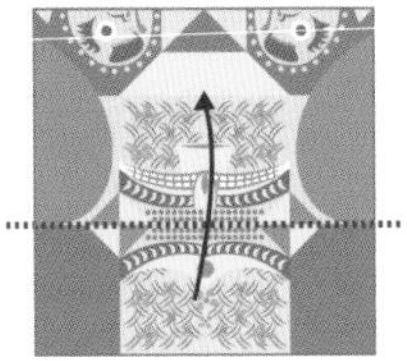

2

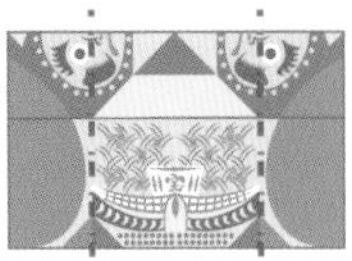

3

折り線にそって内側を
開きながら折る

4

5

内側に中割り折り

6

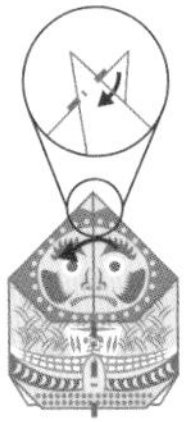

半分に折りながら頭部分を
ずらしながら折る

完成！

たとう

TATOU

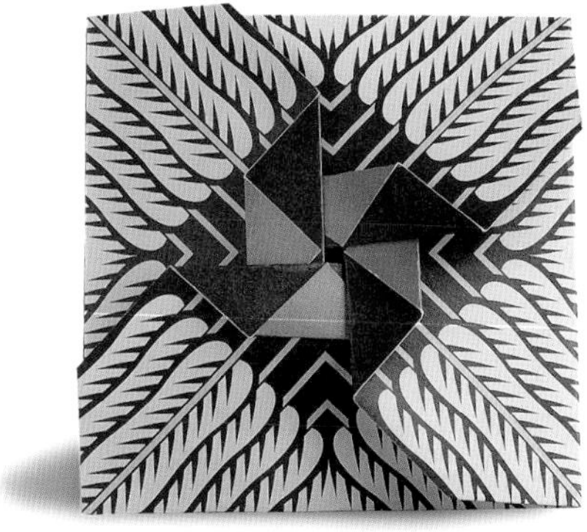

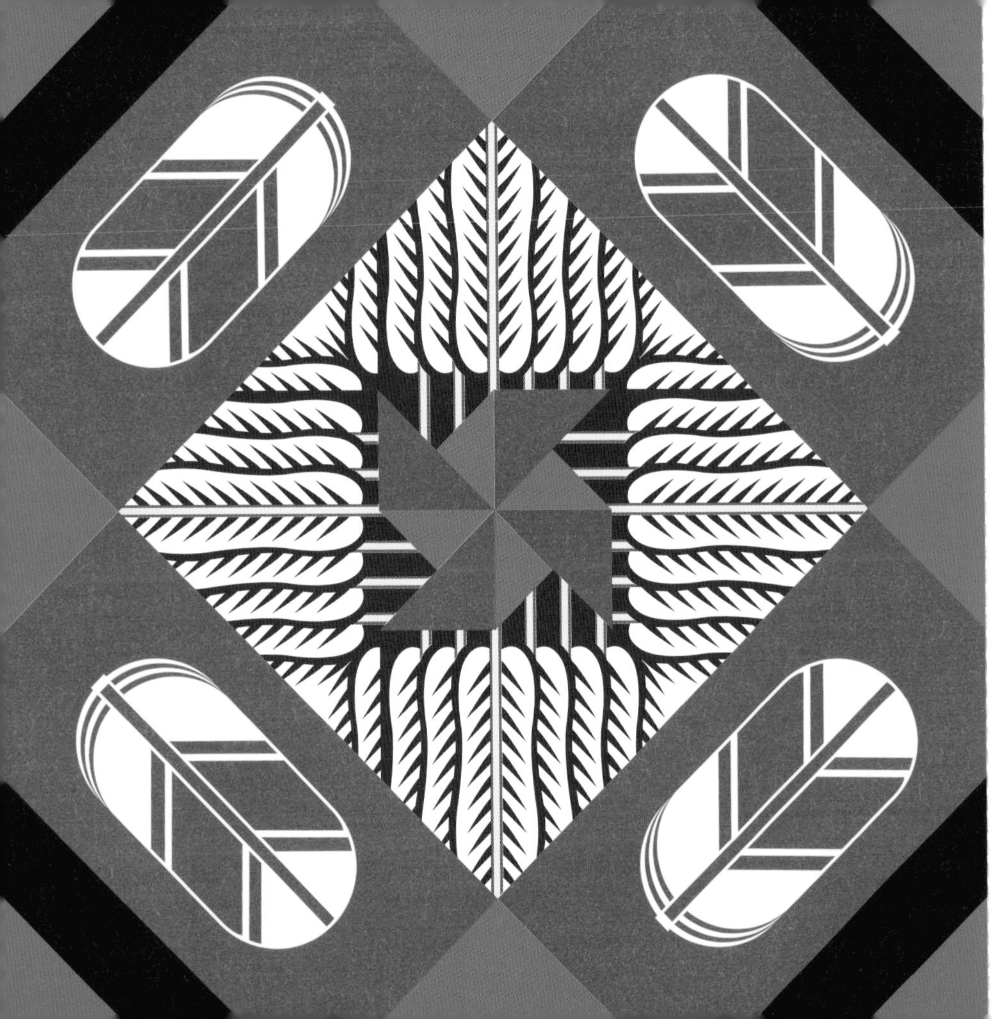

たとう　TATOU

1

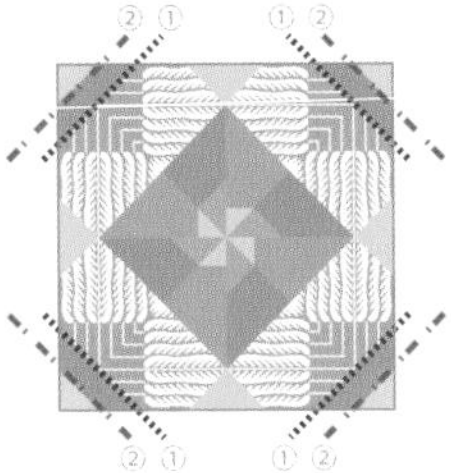

①②の順番に
谷折り山折りする

2

3

①②③の順番に谷折りする

4

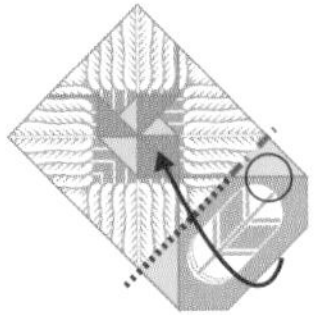

内側を開き◯部分を
内側へ入れ込む

完成！

こまいぬ

KOMAINU

こまいぬ　KOMAINU

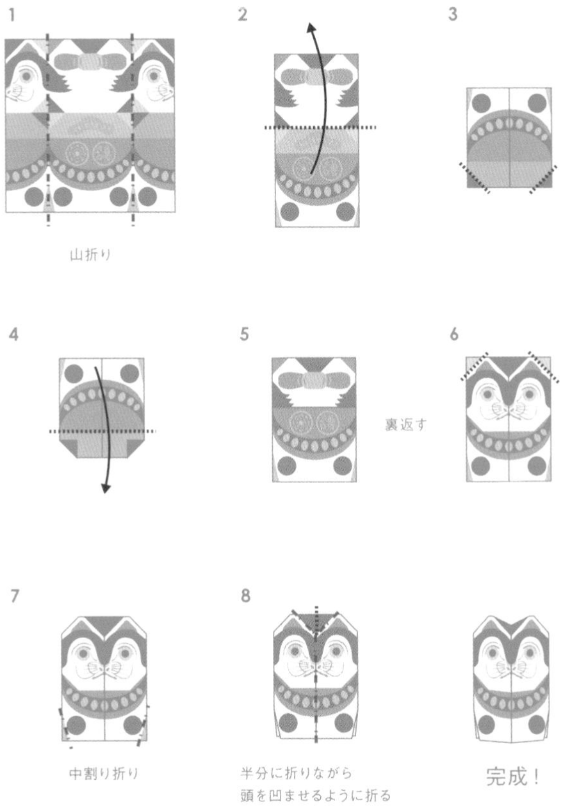

1
山折り
2
3
4
5
裏返す
6
7
中割り折り
8
半分に折りながら
頭を凹ませるように折る
完成！

あじさい

AJISAI

あじさい　AJISAI

1

2

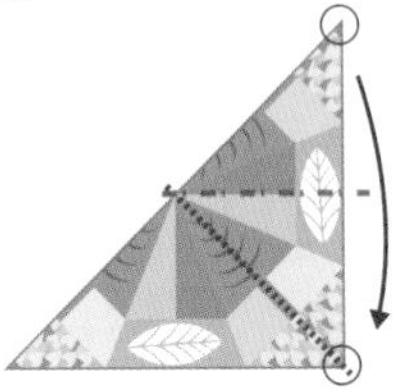

○と○を合わせるように
内側を開きながら折る

3

反対側も２と
同じように折る

4

5

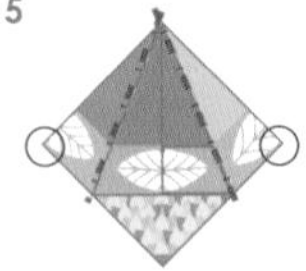

○部分を後ろへ山折り

6

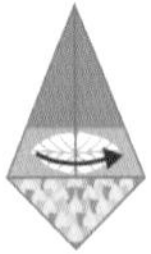

１枚めくって
違う面を出す
反対側も同じ

7

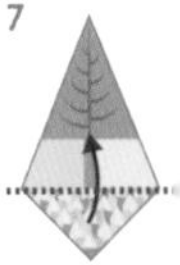

１枚谷折り

8

○部分の内側を
開くように折る

9

葉部分を谷折り

10

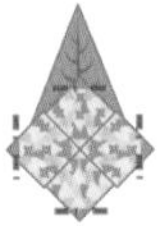

角を山折り

完成！

ゆきんこ

YUKINNKO

ゆきんこ　YUKINKO

1

裏面を出す

2

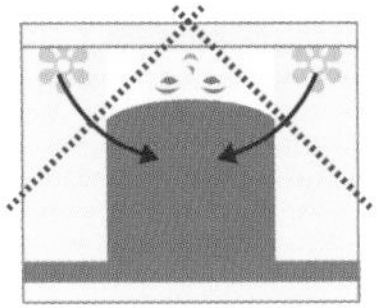

3

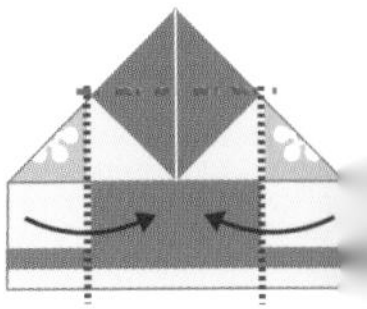

4

5

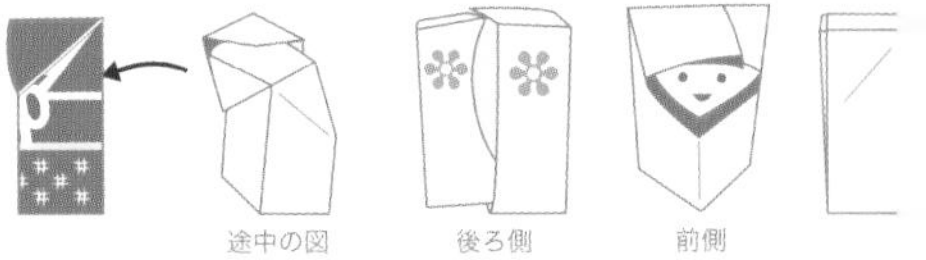

後ろ側を開き
立体にする

箱を作るように
内側へ差し込む

6

→の部分を押して
顔にすこし丸みをつける

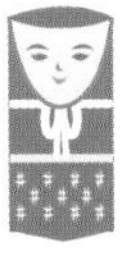

完成！

ふくろう

FUKUROU

ふくろう　FUKUROU

1

裏面を出す

2

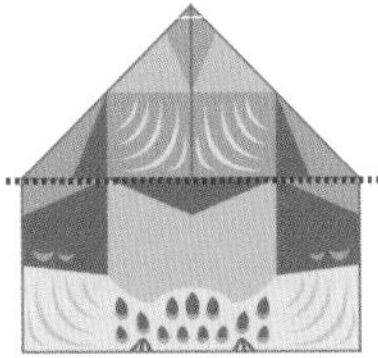

3

4

谷折りして
鼻の先を尖らせる

5

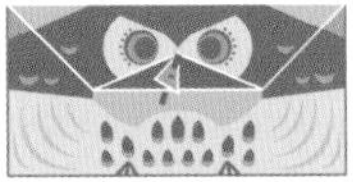

鼻の先の内側を開いて
つぶすように折る

6

7

折り線に沿って少し
谷折り山折りする

完成！